MA GRAND-MERE FAIT DU JUDO ET AUTRES HISTOIRES COURTES

26 Stories for the French II Level
by Catherine Lheureux

With contributions from
Alex King, Ellen McLaren,
Siobhan O'Carroll,
and Zara Orbach

Pour Yvonne, une grand-mère
pas comme les autres

ISBN 978-0-9831016-1-1

Cover design: Thierry Lheureux

Table des matières

	Page
1. Le corbeau et le renard	1
2. L'oiseau à miel	3
3. Ma grand-mère fait du judo	6
4. L'Ipod	8
5. Plouf!	11
6. Le déménagement	13
7. Le loup et le chien	15
8. Le colocataire	17
9. Le rendez-vous manqué	20
10. Chez le coiffeur	23
11. Le facteur Cheval	26
12. Lettre de France	28
13. Le fermier	31
14. Léon, chauffeur de taxi	34
15. Une visite dans le passé	37
16. Au cinema	39
17. Dialogue SMS	42
18. Dialogue de djeunz (en argot)	44
19. Deux têtes	47
20. Barry	49
21. La chaussette magique	53
22. Sauvé!	57
23. L'arbre	60
24. Amélia et son gnome	63
25. Le pêcheur	67
26. L'homme à la peau d'ours	70
About the Author	75

1. Le corbeau et le renard

Un corbeau est perché sur un arbre. Dans son bec, il a un beau fromage qu'il a volé au marché. Un renard passe sous son arbre et sent la bonne odeur du fromage. Les renards sont malins. Il le regarde et lui dit :

« Hé, bonjour, Monsieur Corbeau ! Vous avez un magnifique fromage !

Le corbeau ne répond pas mais ferme les yeux de plaisir.

- Je voudrais vous inviter à déjeuner. Êtes-vous libre vendredi prochain ?

Le corbeau dit « non » de la tête.

- Ah, eh bien, tant pis ! Je voulais vous faire rencontrer mes amis Justin Bieber et Lady Gaga. Je suis leur imprésario. Mais je pense que vous chantez très bien, vous aussi, n'est-ce pas ? Vous avez de somptueuses plumes noires, et comme vous avez une voix magnifique, je pense que vous serez certainement une future vedette ! Allez ! Chantez-moi quelque chose ! J'ai tellement envie de vous entendre chanter. »

Le corbeau est très flatté, et pour montrer sa belle voix, il ouvre très grand son bec pour chanter… et son fromage tombe. Le corbeau saute de l'arbre pour le ramasser, mais le renard l'attrape et lui dit :

« Cher Monsieur Corbeau ! Méfiez-vous des flatteurs. Vous serez mon plat principal, et votre fromage sera mon dessert. Je mange parce que des imbéciles comme vous m'écoutent. C'est une bonne leçon, n'est-ce pas ? » *(d'après J. de la Fontaine)*

Vocabulaire:

Le marché: market

Il sent (sentir): he smells

Une odeur: smell

Malin, maligne: clever

Je voudrais (vouloir): I would like

Tant pis: never mind

Je voulais (vouloir): I wanted

Rencontrer: to meet

Je pense que: I think that

N'est-ce pas ?: isn't it, don't you ?

Flatté(e): flattered

La voix: voice

Tomber: to fall

Sauter de: to jump from

Ramasser: to pick up

Attraper: to catch

Méfiez-vous (se méfier de): beware of…

Vous serez (être): you will be

Comme vous: like you

2. L'oiseau à miel

Il existe en Afrique un oiseau qu'on appelle « l'oiseau à miel ». Il chante une très jolie chanson. Il vous dit de le suivre. Si vous le suivez, vous avez une bonne, une très bonne surprise…

Ayuro est un jeune garçon de la tribu des Borans. Son père utilise un sifflet spécial pour appeler l'oiseau à miel, qui le guide jusqu'aux ruches sauvages. L'oiseau le guide parce qu'il aime aussi le miel mais qu'il ne peut pas ouvrir la ruche. Il a besoin de l''homme !

Un jour, Ayuro décide de partir chercher du miel avec son ami Patan. Il ne dit rien à son père. Il prend le sifflet, et un grand sac, et va dans la forêt. Il siffle une fois. Il attend une heure. Rien. Il siffle une nouvelle fois. Il attend encore une heure. Cette fois-ci, il entend la chanson de l'oiseau à miel. Ils se dirigent vers lui. L'oiseau vole et chante en même temps. Ayuro et Patan courent derrière l'oiseau. Ils courent longtemps. De temps en temps, l'oiseau vole au dessus d'eux. Il les guide. L'oiseau s'arrête sur un arbre. Il ne vole plus, mais il chante toujours. Ayuro et Patan sont contents. Sur l'arbre, il y a une belle ruche.

Ils font un grand feu humide sous la ruche. La fumée monte vers elle. Les abeilles se calment et s'endorment. Patan monte dans l'arbre. Il fait tomber la ruche. Ayuro collecte tout le miel dans son grand sac. Les deux garçons sont contents. Ils ont réussi, et rentrent dans leur village. Leurs parents sont contents. Mais il y a un problème : ils ont oublié de laisser du miel pour l'oiseau ! Ayuro et Patan ne disent rien à leurs parents.

Une semaine plus tard, Ayuro et Patan décident à nouveau de partir chercher du miel. Ayuro utilise à nouveau le sifflet de son père. L'oiseau arrive immédiatement. Il vole au dessus d'eux. Il les reconnaît ! Les garçons courent derrière lui et l'oiseau chante, chante toujours. Ils courent pendant deux heures.

Finalement, l'oiseau s'arrête sur une branche. Ayuro et Patan s'arrêtent au pied de l'arbre. Mais il n'y a pas de ruche dans l'arbre ! Il y a une énorme lionne qui a très faim ! L'oiseau à miel s'est vengé !

(Adaptation d'un conte traditionnel)

Vocabulaire:

Le miel: honey

Suivre: to follow

Si: if

Ouvrir: to open

Il a besoin de…(avoir besoin de): he needs

L'homme: man, mankind

Rien: nothing

Une heure: an hour

Cette fois-ci: this time

Vers: towards

Au dessus de…: above…

Ne… plus: no longer

Toujours: still

Elles s'endorment (s'endormir): They fall asleep

Ils rentrent (rentrer): They go back (home)

Ils ont oublié (oublier): they have forgotten

Laisser: to leave (something)

Il les reconnaît (reconnaître): he recognizes them

Ils courent (courir): they run

Il s'arrête (s'arrêter): he (it) stops

3. Ma grand-mère fait du judo

Ma grand-mère fait du judo. Elle a 90 ans, et elle est ceinture noire. Elle en fait depuis trois ans, mais comme elle est très bonne, elle met K.O. tout le monde, même mon grand-père, qui a 92 ans ! Elle l'a déjà mis K.O. en dix secondes. Je le sais, parce que je l'ai vue. Mon grand-père a dit quelque chose à ma grand-mère ; elle n'a pas apprécié, et pof !, ma grand-mère a frappé mon grand-père quand il était en train de lire une bande dessinée, et elle l'a mis K.O. C'est vrai !

C'est une terreur, ma grand-mère. Elle est aussi championne de javelot. Pour ça, elle utilise son balai. Un jour, un voleur est entré chez elle. Il a pris son sac à main qui était dans l'entrée, et il est parti en courant. Il était sur le point de disparaître au coin de la rue quand ma grand-mère a attrapé son balai et l'a lancé dans sa direction. Le balai a assommé le voleur. Elle a appelé la police, et des journalistes sont venus pour interviewer ma grand-mère. Ils ont écrit un article très intéressant sur elle.

Voilà pourquoi je suis toujours très poli et très gentil avec ma grand-mère. Elle est toute petite, elle a l'air très fragile, mais c'est quelqu'un qui a encore beaucoup d'énergie pour son âge. Quand elle n'est pas contente parce que j'ai fait une bêtise, elle me dit de ne pas bouger, alors bien sûr, je ne bouge pas. La dernière fois, je suis resté sans bouger, elle est montée sur un tabouret parce que je suis grand, et elle m'a donné une gifle. Moi je préfère ça au balai !

Vocabulaire:

Elle fait du, de la… (faire): she does (a sport)

Tout le monde: everyone

Depuis: since

Je le sais (savoir): I know it

Je l'ai vue (voir): I saw her

Quelque chose: something

Il était en train de: he was in the middle of…

Une bande dessinée: comic strip

Il a pris (prendre): he took

Le sac à main: handbag

L'entrée: entrance (building)

En courant (courir): running

Il était sur le point de…: he was about to…

Au coin de la rue: at the street corner

Quelqu'un: someone

Une bêtise: something dumb

Bouger: to move

La dernière fois: last time

Elle m'a donné une gifle: she smacked me

4. L'Ipod

Il y a une fille qui s'appelle Elisabeth. Elle n'a jamais le temps d'étudier, mais elle a toujours le temps d'écouter de la musique. Un jour, elle dit à ses profs: « Je suis en train de faire mes devoirs. »
Un autre jour: « Je suis sur le point de finir mes devoirs. »
Et le lendemain: « Je viens de finir mon travail. Tout va bien. »
Mais c'est faux. Elle ne fait pas son travail. Elle écoute de la musique sur son Ipod, et c'est tout. Elle n'étudie pas.

Un jour, son prof d'anglais lui demande : « Quel jour sommes-nous ? »
Elisabeth ne sait pas répondre, parce qu'elle n'a pas étudié. Elle ne sait pas les jours de la semaine en anglais. Elle ne sait pas que lundi, c'est Monday, mardi, c'est Tuesday, mercredi, c'est Wednesday, jeudi, c'est Thursday, vendredi, c'est Friday, samedi, c'est Saturday, et dimanche, c'est Sunday. Son prof lui dit qu'elle est nulle en anglais. Mais elle n'est pas nulle. Elle ne fait pas ses devoirs, c'est tout. Alors elle a des mauvaises notes.

« La semaine prochaine, tu vas apprendre les jours de la semaine, Elisabeth, lui dit son prof d'anglais.
- Mais je les ai déjà appris !
- Alors pourquoi tu ne les sais pas ?
- Parce que je les ai oubliés.
- C'est une mauvaise excuse.

- L'année prochaine, est-ce que je vais apprendre les mois de l'année ?
- Non, » répond son prof. Il voit l'Ipod d'Elisabeth, et lui demande: « Montre-moi ton Ipod! » Puis il le met dans sa poche et dit :
« Tu vas apprendre les mois de l'année tout de suite. Je te rends ton Ipod quand tu récites correctement les mois de l'année en anglais.
- Monsieur, c'est nul, » dit Elisabeth.
Elle est un peu insolente ! Elle n'est pas contente, mais maintenant, elle ne peut plus écouter de la musique, alors elle a le temps d'apprendre que janvier, c'est January, février, c'est February, mars, c'est March...

Vocabulaire:

Elle a le temps de…: she has time to…

Jamais: never

Le lendemain: the next day

Je viens de finir… (venir de): I just finished…

Tout va bien: everything is going well

C'est faux: it is not true

Quel jour sommes-nous ?: what day is it today?

Elle sait (savoir): she knows

Elle est nulle en… (être nul en): she is no good at…

Elle a de mauvaises notes: she has bad grades

La semaine prochaine: next week

Le jour: day

Déjà: already

Je les ai oubliés (oublier): I have forgotten them

Une mauvaise excuse: a poor excuse

L'année: year

Le mois: month

Tout de suite: immediately

C'est nul: that's lousy

Insolent(e): insolent

5. Plouf !

Christine va à la piscine avec sa cousine Alice et ses cousins Hadrien et Simon. C'est une adolescente de 15 ans. Elle ne sait pas bien nager, alors elle va dans le petit bain. Il y a des toboggans dans le petit bain. Elle monte sur le premier toboggan, mais il est trop petit. Elle veut essayer un toboggan plus grand. Elle veut monter sur le toboggan le plus grand, mais il y a beaucoup de monde. Elle doit attendre patiemment.

Christine attend, mais elle n'a pas beaucoup de patience. Elle décide d'essayer le plongeoir du grand bain. « Je ne sais pas bien plonger, » pense Christine, « mais je sais sauter. Alors ça va. » Elle décide de sauter d'un grand plongeoir. Elle monte sur le premier plongeoir, mais il est trop bas. Elle veut un plongeoir plus haut pour impressionner sa cousine Alice.

Christine choisit le plus haut des plongeoirs. Elle y monte. Elle n'a pas peur. Alice, elle, ne veut pas y monter. Elle a peur. Elle n'est pas très courageuse. Il y a du monde sur le petit plongeoir, et il y a un adolescent sur le grand plongeoir. Christine attend longtemps, parce que l'adolescent est mort de peur et ne veut pas plonger tout de suite. Elle s'allonge sur la plateforme pour attendre patiemment.

Mais Christine est fatiguée. Elle s'endort sur la plateforme ! Soudain elle se réveille. Ses cousins

Hadrien et Simon la portent sur le plongeoir par les mains et les pieds. Ils la jettent dans la piscine ! Elle crie : « Au secours, je ne sais pas nager ! »

Vocabulaire:

La piscine: swimming pool
Le bain: bath
Trop petit: too small
Plus grand: higher, taller
Le plus grand: the highest, the tallest
Il y a beaucoup de monde: it is very crowded
Elle doit: she must
Attendre: to wait
Essayer: to try
Nager: to swim
Bas: low
Haut: high
Elle choisit (choisir): she chooses
Elle a peur (avoir peur): she is afraid
Longtemps: for a long time
Elle s'allonge (s'allonger): she lies down
Patiemment: patiently
Elle s'endort (s'endormir): she falls asleep
Elle se réveille (se réveiller): she wakes up
Au secours!: help!

6. Le déménagement

Eglantine et Philippe sont sur le point de déménager parce que Philippe n'a plus de travail. Eglantine propose à Philippe d'aller vivre à Toulouse.

Eglantine dit: « Toulouse a moins d'habitants que Paris.

Philippe demande: Mais est-ce qu'elle a plus d'habitants que Bordeaux ?

- Je ne sais pas. En tous cas, elle a un meilleur climat que Paris, et elle ne manque pas de transports en commun.

- Est-ce qu'il y pleut autant qu'à Paris ?

- Mais pas du tout ! Au contraire, il y fait très sec !

- Paris est la plus grande ville du nord de la France. Est-ce que Toulouse est la plus grande ville du sud ?

- Non, mais c'est la ville la plus belle de la région.

- Pourquoi ?

- Parce qu'elle est rose. C'est la couleur de ses bâtiments.

- A mon avis, il vaut mieux y aller en vacances et voir si cette ville nous plaît plus que Paris. Après, nous déciderons.

- Je pense que c'est une bonne idée. Allons-y dans une semaine. Est-ce que tu es d'accord avec moi ?

- J'ai eu la même idée en même temps que toi.

- C'est de la télépathie, ou de l'amour ? »

Vocabulaire:

Déménager: to move (home)

Vivre: to live

Moins de… que…: fewer… than…

Un habitant: inhabitant

Plus de… que…: more… than…

En tous cas: in any case

Meilleur… que…: better… than…

Elle manque de…: she (or it) lacks…

Les transports en commun: mass transit

Il y pleut (pleuvoir): it rains there

Autant que: as much as

Il y fait sec (faire sec): the weather is dry there

Le bâtiment: building

A mon avis: in my opinion

Il vaut mieux: it is better to (do something)

Plus que...: more than...

Allons-y !: let's go!

Les vacances: vacation

En même temps: at the same time

L'amour: love

7. Le chien et le loup

Un jour, un loup très maigre rencontre un chien énorme, une magnifique bête. Le loup décide de ne pas l'attaquer, parce qu'il semble trop fort. Il préfère parler gentiment au chien, et le complimenter sur sa grande forme. Le chien lui répond :

« Si vous voulez être aussi beau et aussi gras que moi, quittez la forêt et venez habiter en ville. Chez vous, pour manger, il faut se battre. Vous et les autres loups mourez souvent de faim. En ville, nous, les chiens, travaillons pour les hommes ; la vie est plus facile. Suivez-moi !

- Pour les hommes ? Qu'est-ce qu'il faut faire ?

- Il faut les défendre contre les mendiants et les voleurs, il faut être gentil, il faut plaire à son maître. Si vous faites tout ça, on vous donne à manger tous les jours, et vous mangez à votre faim. »

Le loup décide de suivre le chien. En chemin, il remarque une marque sur le cou de son nouveau compagnon.

« Et ça, qu'est-ce que c'est ? demande le loup.

- Quoi ? répond le chien.

- Cette marque que vous avez au cou ?

- Ce n'est rien.

- Rien, vraiment ?

- Vous voulez parler de la marque de mon collier ?

- Vous avez un collier ? Pour quoi faire ?

- On m'attache de temps en temps.

-Vous ne courez donc pas toujours où vous voulez ?

- Non, mais ça n'a pas d'importance.

- Eh bien moi, je vous dis que je n'échange pas ma liberté contre un repas. Adieu ! » dit le loup, qui s'enfuit et court encore.

(D'après une fable de Jean de la Fontaine)

Vocabulaire:

Attaquer: to attack

Fort: strong

Gentiment: nicely

La forme: fitness

Aussi… que...: as… as…

Chez vous: where you live, at your place

Il faut: it is necessary

Souvent: often

Suivez-moi ! (suivre): follow me!

Contre: against

Plaire: to please

Tous les jours: every day

La faim: hunger

En chemin: on the way

De temps en temps: from time to time

Donc: then, therefore

Ça n'a pas d'importance: that's not important

Eh bien: well,…

J'échange (échanger): I trade

8. Le colocataire

Vous venez de commencer vos études à l'université et vous emménagez dans un appartement que vous allez partager avec trois autres étudiants. Rapidement, vous réalisez qu'un des colocataires est très spécial. Le premier jour, il vous dit : « La musique, ça me dérange. Alors pas de musique ici, jamais, jamais ! » Le deuxième jour, il vous déclare : « Tu sais que les Américains n'ont jamais marché sur la lune ? » Le troisième jour, vous réalisez qu'il ne se lave jamais, et que ses pieds sentent particulièrement mauvais. Le quatrième jour, vous l'entendez marcher la nuit dans l'appartement. Il répète : « Qu'est-ce que c'est beau ! C'est tellement beau ! »

Alors au bout du quatrième jour, vous en avez assez, et vous décidez de déménager. Vous regardez les petites annonces à l'université. Il y a beaucoup d'étudiants qui cherchent des colocataires. Vous cherchez une grande chambre dans une maison ou un appartement. Vous notez quelques numéros de téléphone. Vous téléphonez à sept personnes. Vous visitez trois maisons et quatre appartements. Dans la première maison, il n'y a qu'une seule salle de bains pour six personnes. Dans la seconde, il y a un énorme chat qui vous donne des allergies. Vous choisissez la troisième. La chambre est grande et belle. Les deux autres colocataires sont sympathiques. Cette maison n'est pas loin de l'université. Vous pouvez y aller en vélo, ou prendre le bus.

La première nuit est calme. Vous êtes rassuré. Il n'y a pas de fous dans cette maison. Le soir de la deuxième nuit, vous vous couchez tôt parce que vous êtes fatigué. Il est deux heures du matin quand tout commence. On frappe à la porte, mais quand vous ouvrez, il n'y a personne. Vous entendez rire sous votre lit, mais quand vous regardez, il n'y a personne. Vous entendez parler autour de vous, mais quand vous allumez la lumière, il n'y a personne. Il y a quelqu'un dans votre chambre, mais vous ne voyez personne. Votre chambre est hantée ! Allez-vous encore déménager ?

Vocabulaire:

Le colocataire: roommate

Les études: studies

Vous emménagez (emménager): you move into

Partager: to share

Premier, première: first

Ça me dérange (déranger): that bothers me

Deuxième: second

Troisième: third

Quatrième: fourth

Qu'est-ce que c'est beau ! : how beautiful!

Au bout de…: at the end of…

Une annonce: an ad

Quelques: some, a few

Il n'y a que…: there is only…

Aller en vélo: to bike

Prendre le bus: to take the bus

Vous vous couchez (se coucher): you go to bed

Tôt: early

Il n'y a personne: there is no one

Il y a quelqu'un: there is someone

9. Le rendez-vous manqué

Il y a une fille qui s'appelle Julie et qui est amoureuse d'un garçon. Elle a envie de sortir avec lui. Mais elle ne le connaît pas bien. Elle l'a vu un samedi soir à dix heures, et maintenant elle est amoureuse de lui parce qu'elle le trouve mignon. C'est un ami de son frère. Elle sait qu'il s'appelle Léonard. Julie habite au centre de Paris, et elle sait que le garçon qu'elle aime habite en banlieue, à Versailles. Elle voudrait un rendez-vous avec lui, mais elle a peur de lui parler.

Son amie Françoise lui conseille d'être directe.
« Et si tu lui téléphonais et l'invitais en boîte ? demande Françoise.
- Quoi ? Mais je suis trop timide !
- Alors moi, je vais lui téléphoner pour toi
- Tu es folle ! crie Julie.
- Tu connais son nom de famille ?
- Je crois que c'est Delarue. Mais ne lui téléphone pas, s'il te plaît ! Je ne te parle plus si tu fais ça ! »

Françoise rentre chez elle et regarde dans les pages jaunes, sur internet. Elle trouve un « Léonard Delarue » qui habite à Versailles. Elle lui téléphone.
« Allo, Léonard ?
- Oui, c'est moi.
- Bonjour. J'ai une copine qui s'appelle Julie, qui est très mignonne, qui aimerait t'inviter en boîte, mais qui n'ose pas. »
Léonard est surpris, mais très content.

« C'est génial ! Une fille qui voudrait m'inviter ? Pourquoi pas !
- Très bien alors, dit Françoise. Vous vous retrouverez au Bataclan, à 10 heures et demie, vendredi soir, d'accord ? Julie portera une robe rouge.
- Entendu ! »

Le lendemain, Françoise téléphone à Julie.
« Julie, tu as rendez-vous avec Léonard Delarue à 22h30 vendredi soir au Bataclan. Tu porteras une robe rouge.
- Quoi ? Tu lui as téléphoné ? A Léonard Delorme ?
- Non, à Léonard Delarue. Ce n'est pas Léonard Delarue ?
- Françoise, c'est horrible, mais je me suis trompée hier Je ne connais pas le Léonard Delarue à qui tu as parlé ! »

Vocabulaire:

Elle est amoureuse (être amoureux): she is in love

Elle a envie de… (avoir envie de): she feels like…

Elle connaît: she knows, she is acquainted with

Elle le trouve... (trouver): she finds him...

Mignon: cute, good looking

Au centre: at the center

La banlieue: the suburbs

Elle voudrait: she would like

Comment faire: how to go about it

Elle lui conseille (conseiller): she advises her

Folle (fou): crazy (feminine)

La boîte: nightclub

Le nom de famille: last name

Plus: no longer, no more

Elle aimerait (aimer): she would like

Elle n'ose pas (oser): she doesn't dare

Génial: great, brilliant

Entendu: OK

Je me suis trompée (se tromper): I made a mistake

A qui: to whom

10. Chez le coiffeur

Le téléphone sonne. C'est Jeanine. Elle veut sortir ce soir avec Marc. Il est d'accord, mais il doit d'abord aller chez le coiffeur, parce que ses cheveux sont trop longs. Il veut une belle coupe pour plaire à Jeanine.

Marc a décidé d'aller chez le meilleur coiffeur de la ville, qui se trouve à trois stations de métro. Jeanine, elle, doit aller faire une course avant de sortir. Ils ont rendez-vous après.

Marc est entré dans la boutique du coiffeur et s'est assis dans un fauteuil. Il y a beaucoup de monde. Il a choisi un magazine pour patienter. Son téléphone portable a sonné, et il y a répondu. C'est encore Jeanine. Elle lui a demandé combien de temps il va passer chez le coiffeur. Marc a répondu qu'il ne le sait pas. Il y a du monde, il doit être patient. Il est chez le meilleur coiffeur de la ville. Il raccroche.

Une heure plus tard, c'est son tour. Il s'est assis dans le fauteuil du coiffeur. Le coiffeur lui a demandé ce qu'il voulait. « Une belle coupe, a dit Marc.
- Belle, bien sûr. Mais quelle sorte ?
- Quelle est la coupe de votre client le plus connu, le plus populaire ? Eh bien, faites-moi cette coupe !
- Vous êtes sûr ?
- Certain, répond Marc, j'ai totalement confiance en vous. »

Et Marc a choisi un autre magazine. Le coiffeur a pris un rasoir électrique, et a commencé à raser la tête de Marc.

« Arrêtez, vous êtes fou, qu'est-ce que vous faites ! » a crié Marc.

Mais c'est trop tard. Le coiffeur a déjà rasé la moitié des cheveux de Marc.

« Vous voulez la coupe de mon client le plus connu, le plus populaire. Eh bien, mon client le plus connu, le plus populaire, c'est le footballeur Zinedine Zidane. Et il est chauve, » a dit le coiffeur.

C'est Jeanine qui va être surprise !

Vocabulaire:

Sonner: to ring

Sortir: to go out

Ce soir: tonight, this evening

D'accord: ok, in agreement

Les cheveux: hair

La coupe (de cheveux): haircut

Le coiffeur: hairdresser

Faire une course: to run an errand

Il s'est assis (s'asseoir): he sat down

Le fauteuil: armchair

Avant de + verb: before + verb

Le téléphone portable: cell phone

Encore: again

Il y a du monde: it is crowded

Il doit (devoir): he must

Il raccroche (raccrocher) : he hangs up

Plus tard: later

Connu: well-known

J'ai confiance en vous: I trust you

Chauve: bald

11. Le facteur Cheval

Nous sommes en 1879, En France, à Hauterives, dans la Drôme. Chaque jour, Ferdinand Cheval distribue le courrier, à pied. Il n'a pas de vélo. Les vélos n'existent pas encore. Il n'a pas de voiture, ni de cheval. Non, Ferdinand Cheval marche. Il fait 32 kilomètres tous les jours. Toujours le même trajet. Il a un grand sac pour toutes les lettres qu'il distribue.

Un jour qu'il marche sur la route, son pied heurte une grosse pierre. Il s'arrête et il la regarde. Quelle forme bizarre ! C'est une jolie pierre. Qu'est-ce qu'on pourrait faire, avec une pierre comme ça ? On pourrait construire un four à pain. Non. Pas assez ambitieux. On pourrait construire un mausolée. Non. Trop petit. On pourrait construire une maison. Oui, pourquoi pas ? Mais si on peut construire une maison, alors on peut aussi construire un palais. Une maison, c'est bien, mais un palais, c'est mieux. Et il y a tellement de pierres, sur cette route ! Alors, quand le facteur Cheval termine sa distribution et que son grand sac est vide, il y met de grosses pierres qu'il transporte chez lui.

Beaucoup de gens pensent qu'il est fou, mais quand il marche, toute la journée, Ferdinand rêve de pays exotiques, et il imagine son Palais. Il ne s'ennuie pas. Comme il ne peut pas déménager en Chine, au Japon ou en Arabie, il fabrique dans sa tête des statues, des ornements, des décorations pour son Palais Idéal. Le soir, quand il a terminé son travail de facteur, il construit son Palais Idéal, avec les statues, ornements et décorations qu'il a imaginés. Il travaille 93 000 heures. Ce sont 10 000 journées de travail. Le Facteur Cheval a mis 33 ans pour construire son chef-d'œuvre.

Vocabulaire:

Nous sommes en + date (être en): the year is…

Chaque jour: every day

Le courrier: mail

Le cheval: horse

À pied: on foot

Une voiture: car

Le trajet: route

La pierre: stone

On pourrait: one could

Pas assez…: not… enough

Alors: so

Aussi: also

Tellement: so much, so many

Beaucoup de gens: many people

Il s'ennuie (s'ennuyer): he is bored

Comme: since

Le facteur: mailman

La journée: day

Il a mis 33 ans (mettre): he spent 33 years, it took him 33 years

Le chef-d'oeuvre: masterpiece

12. Lettre de France

Chère amie,

Comment vas-tu? Moi je vais bien. Je suis arrivée à Lyon il y a deux semaines maintenant. J'ai fait bon voyage sur Air France. Dans l'avion, j'ai rencontré une autre Américaine. Elle parle moins bien français que moi. C'est vrai, à mon avis, je parle mieux qu'elle !

Ici, à Lyon, ma famille française est très sympa. Ma mère française parle plus que ma vraie mère, mais elle est aussi sympa. Je vois moins mon père français que ma mère française, parce qu'il travaille autant que mon vrai père ! Et ma correspondante est adorable. Elle m'aide beaucoup avec le français, parce que ça n'est pas toujours facile.

Je vais au lycée du Parc depuis lundi. Ici les lycées sont très différents. Par exemple, nous passons plus de temps à l'intérieur du lycée qu'aux Etats-Unis. Nous commençons le matin à 8h30, et nous terminons toujours l'après-midi à 17h30. Nous avons moins d'occasions de faire du sport à l'extérieur. Mais nous en faisons beaucoup à l'intérieur. Deux fois par semaine, pendant une heure et demie. Il y a une belle salle de gym qui est aussi grande que notre salle à Bush. Je crois que j'ai autant de devoirs qu'avant, ou peut-être plus, mais moins de variété de cours, parce que nous avons les mêmes cours toute l'année. Par contre, nous avons plus de temps pour déjeuner. Imagine ! Nous avons plus d'une heure et demie ! Je reste souvent manger à la cafétéria, ou quelquefois, je vais déjeuner dans un petit restaurant avec mes camarades de classe. C'est plus sympa.

Hier, il m'est arrivé quelque chose de bizarre. J'étais devant le lycée, et j'ai entendu une personne qui m'appelait. Devine qui c'était? C'était Peter ! Notre Peter ! Incroyable coïncidence ! Il habite maintenant à Lyon, et il travaille dans un autre grand lycée comme assistant dans une classe d'anglais. Il est très content. Il a changé, je trouve. Il est plus grand, et il a des cheveux moins longs. Mais il a toujours autant d'humour ! Et personnellement je le trouve aussi beau que Johnny Depp !

Je t'embrasse,
Mary

Vocabulaire:

Il y a: ago

Maintenant: now

A mon avis: in my opinion

Vrai(e): true

Autant que: as much as

Le correspondant(e): penpal, exchange student

Aider: to help

Le lycée: high school

Passer: to spend

A l'intérieur de: inside

Une occasion: opportunity

A l'extérieur: outside

Deux fois par semaine: twice a week

Pendant: during, for

Les devoirs: homework

Même: same

Par contre: on the other hand

Plus de temps: more time

Quelquefois: sometimes

Il m'est arrivé quelque chose (arriver): something happened to me

13. Le fermier

Un fermier est devant chez lui. Il fume une cigarette dehors, parce que sa femme ne veut pas qu'il fume dans la maison. La fumée, ça gêne sa femme. Elle n'est pas très tolérante. Tout l'agace. Ses bottes sales l'agacent. Son odeur de vache ne lui plaît pas. Ses ronflements, la nuit, l'irritent. C'est un homme qui ne parle pas beaucoup, alors elle ne le trouve pas très sophistiqué. Elle préférerait habiter avec Brad Pitt ou Adam Lambert. Ça lui plairait de vivre dans un penthouse, à Los Angeles. Mais malheureusement, elle habite à côté de Paris, au Texas. Et son mari est un fermier qui fume, qui sent la vache, qui ronfle, et qui ne parle pas beaucoup.

Le fermier est dehors, devant chez lui, assis sur un banc. Il fait beau, et il a l'air content. Il y a une petite voiture de course rouge qui roule sur le chemin. Elle s'arrête devant le fermier. Une jeune femme conduit la voiture. Elle demande au fermier:
« Bonjour Monsieur, savez-vous où est la route 25 ?
- Non.
- Alors sauriez-vous peut-être où est l'entrée de l'autoroute ?
- Non. », dit le fermier.

La jeune femme s'impatiente. Elle regarde sa montre. Son téléphone portable sonne. Elle répond. Le fermier continue de fumer sa cigarette. Il la regarde. Elle parle au téléphone pendant dix minutes. C'est son petit ami. Elle est très bavarde.

Le fermier continue de la regarder, avec son air content. Il a le temps de fumer trois cigarettes.

Finalement, la jeune femme raccroche. Elle lui demande : « Savez-vous où est Paris ?
- Non, dit le fermier.
- Vous ne savez pas grand-chose, vous ?
- Peut-être, répond le fermier. Mais moi, je ne suis pas perdu. »

(Adaptation d'une histoire drôle)

Vocabulaire:

Devant: in front of

Fumer: to smoke

Dehors: outside

Ça gêne (gêner): it bothers

Agacer: to annoy

Elle ne lui plaît pas (plaire): she doesn't like it

Irriter: to irritate

Elle préférerait (préférer): she would prefer

Ça lui plairait de (plaire): it would please her to...

Malheureusement: unfortunately

Il ronfle (ronfler): he snores

Un banc: a bench

Il a l'air content: he looks happy

Elle conduit (conduire): she drives

Une voiture de course: race car

Sauriez-vous (savoir): would you know

L'autoroute: freeway

Bavard(e): talkative

Pas grand-chose: not much

Perdu: lost

14. Léon, chauffeur de taxi

Un chauffeur de taxi attend des passagers à l'aéroport Charles de Gaulle. Il s'appelle Léon. Il parle beaucoup de langues, le français, l'anglais, le japonais, le russe, le hollandais, l'italien, et l'espagnol. En ce moment, il apprend le chinois. Léon écoute des méthodes de langue sur son Ipod dans sa voiture quand il attend des clients. Il apprend vite. Quand un client russe monte dans son taxi, il lui dit quelques mots en russe. Quand c'est un client mexicain, il lui dit quelques mots en espagnol. Ses clients sont contents.

Léon est un bon chauffeur de taxi, mais il n'est pas très tolérant. Quand un client allume une cigarette, il lui dit : « la fumée, ça me gêne. » Quand un client parle sur son téléphone portable, il lui dit : « le bruit, ça m'irrite. » Quand un client mange dans son taxi, il lui dit : « cette odeur de hamburger, ça ne me plaît pas. »

Un jour, une vieille dame monte dans son taxi. « Je vais à Paris, dit-elle, chez ma sœur.
- Où habite votre sœur ? demande Léon.
- Je viens de vous le dire. Elle habite à Paris !
- Oui, mais à quelle adresse ? demande Léon, qui commence déjà à perdre patience.
- Vous m'agacez ! dit la vieille dame. Chez elle, évidemment !

- Ecoutez Madame, j'aimerais vous conduire chez votre sœur, mais je ne sais pas où elle habite. J'ai besoin de son adresse.

- Quoi ? Vous ne savez pas où habite ma sœur ? Vous ne savez pas qu'elle habite à l'angle d'une avenue immense, en face du plus grand magasin de Paris ? Vous ne savez pas qu'il faut tourner à gauche rue de Rivoli, puis à droite rue Parmentier ? Quelle sorte de chauffeur de taxi êtes-vous ? J'aimerais le savoir ! »

Léon voudrait répondre à la vieille dame, mais elle sort de son taxi furieuse. Léon reste la bouche ouverte. Il a déjà rencontré des vieilles dames bizarres, mais celle-là est *vraiment* étrange !

Vocabulaire:

Le chauffeur: driver

En ce moment: at this time

Vite: quickly

Russe: Russian

Un mot: word

Mexicain: Mexican

Espagnol: Spanish

Allumer: to light up, to turn on

La sœur: sister

Perdre patience: to lose patience

J'ai besoin de... (avoir besoin de): I need...

A l'angle de…: at the corner of…

En face de…: in front of…

Le magasin: shop

Tourner: to turn

A gauche: to the left

A droite: to the right

Il voudrait: he would like

Celle-là (f), celui-là (m): that one

Vraiment: really

15. La machine à remonter le temps

Dominique et Françoise ont fini de prendre leur petit déjeuner et décident d'essayer le nouveau gadget qu'ils ont acheté sur Craigslist. C'est une « machine à remonter le temps », a dit le vieux monsieur qui leur a vendu cet objet.

« Ca ressemble à une calculatrice, a dit Françoise.

- Oui, a dit le vieux monsieur. Vous tapez la date choisie, vous appuyez sur le bouton rouge, et vous disparaissez immédiatement du présent pour apparaître à une autre époque. »

Dominique et Françoise discutent de leur destination.

« 1250, propose Dominique.

- Quoi ? Le Moyen Age ? Tu es fou ! dit Françoise. Il y a des maladies, il y a beaucoup de violence, et ça sent mauvais dans les villes.

- Tu as raison, dit Dominique. Alors je propose 1670. C'est l'époque de Louis XIV. Je veux voir les belles dames, les diligences, les châteaux.

- Ah non, dit Françoise, pas le siècle de Louis XIV ! Il y a beaucoup trop de guerres, et les gens étaient peut-être bien habillés, mais ils ne se lavaient presque jamais...

- Bon, d'accord, dit Dominique. Alors pourquoi pas le dix-neuvième siècle ?

- Je ne crois pas que tu aimeras cette époque-là. Tu te plains tout le temps de la pollution, alors je ne crois pas que la révolution industrielle et ses usines…

- Bon, assez rêvé, dit Dominique.
- Pourquoi ? Tu ne crois pas que cette machine fonctionne vraiment ?
- Parce que tu le crois, toi ? Alors attention, un, deux, trois, je ferme les yeux, je tape une date au hasard et j'appuis sur ce bouton rouge et...
- Noooooonnnnnnnnn ! Ne fais pas çaaaaaa... ! »

Vocabulaire:

Essayer: to try
Nouveau: new
Vendu (vendre): sold
Une calculatrice: calculator
Vous tapez (taper): you type
Vous appuyez (appuyer): you press
Le bouton: button
Une époque: era
Ils discutent de ... (discuter de): they talk about...
Le Moyen-Age: Middle Ages
Ça sent mauvais (sentir): it smells bad
Le château: castle
La guerre: war
Tu te plains (se plaindre): you complain
Une usine: factory
Rêvé: dreamed
Tu ne crois pas (croire): you don't believe
Au hasard: at random
J'appuis (appuyer): I press
Ne fais pas ça !: don't do that!

16. Au cinéma

Jérémie, Fabien et Antoine font la queue devant un cinéma à Paris.

Jérémie: Eh les gars ! Nous nous trompons de salle de cinéma ! Si nous voulons voir « Les Choristes », il passe au Cinéma L'Impérial, pas ici !

Fabien : Merde alors ! Bon, et qu'est-ce qu'on joue, ici ?

Antoine : Attends une minute… Il y a « Le Dîner de cons ». Drôle de titre ! Vous connaissez?

Jérémie: Ah oui, j'en ai entendu parler… C'est un film rigolo, non ?

Fabien : Oui, un film super ! Je l'ai déjà vu il y a longtemps. J'ai trouvé ce film touchant, divertissant et sensible. Il fait réfléchir à comment on traite les gens, il dit qu'il faut tenir compte de la personne entière. Et il m'a fait rire… !

Jérémie : Ça a l'air super, mais tu n'aimerais pas mieux voir un film que tu n'as jamais vu ? Et toi, Antoine, qu'est-ce que tu veux faire ?

Antoine : Moi, je m'en moque. Je vous laisse choisir. C'est de qui, « Le Dîner de cons » ?

Fabien : C'est de Francis Veber, un des réalisateurs les plus célèbres du cinéma français. C'est tout simplement son meilleur film. C'est l'histoire d'un type qui invite des gens qu'il considère stupides ou ridicules à des dîners avec ses amis, qui eux, invitent aussi des gens qui ont de drôles de hobbies. Ma scène préférée est quand…

Jérémie : Bon, ça va, tu ne vas pas nous raconter toute l'histoire ! Bon. Qu'est-ce qu'on fait ? On va à l'Impérial, ou on reste ici pour voir « Le Dîner de cons » ?

Antoine : A mon avis, si on part maintenant pour aller voir « Les Choristes » à l'Impérial, on risque d'arriver en retard.

Fabien : Pas forcément. Si on prend le métro, on a plus de chances d'arriver pendant les bandes-annonces et la publicité.

Antoine : Ah non, je ne veux pas rater les bandes-annonces. Si on manque de temps, il vaut mieux rester ici.

Jérémie : Bon, alors, on reste ?

Antoine et Fabien : On reste.

Jérémie : Et toi, Fabien, il ne faut pas nous raconter le film, d'accord ? Tu le jures ?

Fabien : Promis juré, mais vraiment, c'est trop drôle quand...

Jérémie et Antoine: Tu vas la fermer, oui ?

Vocabulaire:

Ils font la queue (faire la queue): they stand in line

Nous nous trompons (se tromper): we are wrong

Il passe à: it is shown at

Ici: here

J'en ai entendu parler (entendre parler de): I have heard about it

Rigolo: funny

Déjà: already

Réfléchir: to think

Tenir compte de…: to take… into account

Rire: to laugh

Je m'en moque (se moquer de): I don't care

Le réalisateur: director (movies)

Raconter: to tell, to recount

On risque de…: we might…

En retard: late

Pas forcément: not necessarily

La bande-annonce: trailer

Rater: to miss

Manquer de temps: to lack time, to be short on time

Il vaut mieux: it's better

17. Dialogue SMS

Pierre écrit un SMS à son amie Isabelle :

« Bjr chérie. Sa va ? T tjs d'ac pour le 6né ce soir ?
TOQP p-ê ? Jé ma KS et je vé venir. Jenémar de
resT ché moi. Rdv ché toi. Je vé mettre 1 KDO
dan ta BAL. Biz.

Traduction : « Bonjour chérie. Ça va ? Tu es
toujours d'accord pour le cinéma ce soir ? Tu es
occupée peut-être ? J'ai ma voiture et je vais venir.
J'en ai assez de rester chez moi. Rendez-vous chez
toi. Je vais mettre un cadeau dans ta boîte aux
lettres. Bises.

Isabelle lui répond :

- Oué, mr6. Moi sa va b1. J'X que G1id2kdo pour
toi ossi. C5pa de me fer DKDO. Je t'M. Pour le
6né, je NSP. Keske tu veux voir ?

Traduction : Ouais, merci. Moi ça va bien. Je crois
que j'ai une idée de cadeau pour toi aussi. C'est
sympa de me faire des cadeaux. Je t'aime. Pour le
cinéma, je ne sais pas. Qu'est-ce que tu veux voir ?

Pierre écrit :

- Chui sur ke tu Mra mon KDO. Cb1. Pour le 6né,
C1 surprise.

Traduction : Je suis sûr que tu aimeras mon cadeau.
C'est bien. Pour le cinéma, c'est une surprise.

Isabelle :

- Ok1 pbm, j'M BCP les KDO et les surprises. Mr6.

Traduction : Aucun problème, j'aime beaucoup les cadeaux et les surprises. Merci. »

Vocabulaire:

Un SMS: text message

KS: La caisse (« voiture » en argot): car

La traduction: translation

Chéri(e): darling

Occupé(e): busy

Peut-être: maybe

J'en ai assez (en avoir assez): I have had enough

Rester: to stay

Chez moi: at my home

Chez toi: at your home

Un cadeau: a present

La boîte aux lettres: mailbox

Bises: kisses

Je crois que… (croire): I believe that…

C'est sympa (être sympa): that's nice

Tu veux voir (vouloir): you want to see

Je suis sûr(e): I am sure

Aucun problème: no problem

18. Dialogue de djeunz (en argot)

Hier, on est allé bouffer dans un troquet entre potos. On était trois keums et trois meufs. C'était Fred qui régalait. Quand la douloureuse est arrivée, il a commencé à chialer que c'était le coup de bambou, qu'il pouvait pas casquer tout seul. « Fred, tu nous prends grave la tête, que je lui ai dit. C'est toi qui régales, alors arrête un peu ta zic ! Si tu continues, le patron va appeler les keufs ! » Fred l'a mise en veilleuse, et a cherché son larfeuil dans ses fouilles. Que dalle.

« J'pige pas, dit Fred, je l'avais tout à l'heure. On a dû me le chouraver !

- Te fatigue pas, mon vieux. Si tu crois qu'on va casquer à ta place, tu te plantes », a dit Julien. Fred a sorti des clés, s'est levé, et a dit : « Je parie qu'il est dans le survêt que j'ai laissé dans ma caisse. Je reviens tout de suite. » Alors Riri s'est levé à son tour et lui a dit : « Tu nous prends pour des cons ? Je te connais, tu vas te tirer avec ta bagnole et nous refiler l'ardoise ! »

Traduction : Hier, nous sommes allé manger dans un café entre amis. Nous étions trois garçons et trois filles. C'était Fred qui nous invitait. Quand l'addition est arrivée, il a commencé à pleurer que c'était trop cher, qu'il ne pouvait pas payer tout seul. Je lui ai dit : « Fred, tu nous ennuies beaucoup. C'est toi qui invitais, alors arrête de te plaindre ! Si tu continues, le patron va appeler la police ! » Fred s'est calmé, et a cherché son portefeuille dans ses poches. Rien.

« Je ne comprends pas, dit Fred, je l'avais tout à l'heure. On a dû me le voler !

- Ne te fatigue pas, mon ami. Si tu crois que nous allons payer à ta place, tu te trompes, » a dit Julien. Fred a sorti des clés, s'est levé, et a dit : « Je parie qu'il est dans le survêtement que j'ai laissé dans ma voiture. Je reviens tout de suite. » Alors Richard s'est levé à son tour et lui a dit : « Tu penses que nous sommes des imbéciles ? Je te connais, tu vas partir avec ta voiture et nous laisser payer l'addition ! »

Vocabulaire:

L'argot: slang

L'addition (en argot: la douloureuse): the check

(restaurant)

Se tirer (argot): to leave

Pleurer (en argot: chialer): to cry, to weep

Cher: expensive

Tu nous ennuies (ennuyer): you bother us

Arrête de te plaindre ! : stop complaining !

Le patron: owner

Il s'est calmé (se calmer): he calmed down

Le portefeuille (en argot: le larfeuil): wallet

La poche (en argot: la fouille): pocket

Rien (en argot: que dalle): nothing

Tout à l'heure: earlier (when used with past tense)

Ne te fatigue pas (se fatiguer): don't bother

Tu te trompes (se tromper): you are making a mistake

La clé: key

Je parie (parier): I bet

Le survêtement: tracksuit

A son tour: in turn

Tu vas nous laisser payer: you will let us pay

19. Deux têtes

Moi, j'aimerais bien avoir deux têtes. Deux têtes, ce serait deux cerveaux. Ce serait mieux pour penser. Imaginez ! Deux fois plus de matière grise. Si j'avais deux cerveaux, je serais la personne la plus intelligente du monde !

Deux têtes, ce serait aussi deux bouches. Moi qui aime tellement manger ! Ce serait aussi amusant de penser qu'on peut sourire avec une bouche, et bouder avec l'autre. Le problème, avec deux bouches, c'est qu'il y aurait deux fois plus de dents. Il n'y en aurait pas 32, il y en aurait 64 ! Alors ce serait plus long, le soir, pour se les brosser.

Deux têtes, ce sont aussi deux nez. C'est mieux pour sentir, mais c'est terrible quand on est enrhumé. Il faut se moucher deux fois plus. Et si on n'aime pas son nez, il faut payer deux opérations de chirurgie esthétique !

Deux têtes, ça veut dire quatre yeux et quatre oreilles. Là aussi, ce serait un peu un problème. Actuellement, si je ne veux pas voir quelque chose, je peux fermer les yeux, mais avec deux paires d'oreilles, si je ne veux pas entendre ? Je n'ai que deux mains ! Et puis, avec deux paires d'yeux, il faut deux paires de lunettes…

Vocabulaire:

La tête: head

J'aimerais (aimer): I would like

Deux fois plus: twice more

Si j'avais (avoir): If I had

Je serais (être): I would be

Penser: to think

Le monde: world

Sourire: to smile

La dent: tooth

Plus de…: more…

Le nez: nose

On est enrhumé (être enrhumé): one has a stuffy nose

Se moucher: to blow one's nose

Payer: to pay

Là: there

Voir: to see

Deux paires: two pairs

Entendre: to hear

Je n'ai que…: I only have…

Puis: then

20. Barry

Barry était un gros chien blanc qui vivait à la campagne. Il était né dans une ferme, et depuis sa naissance, il vivait avec un troupeau de 426 chèvres. Barry était un chien particulier: parce qu'il était avec des chèvres toute la journée, il se prenait pour une chèvre. Quand les chèvres avaient faim, il avait faim lui aussi. Quand on donnait de l'herbe aux chèvres, il la mangeait aussi. Il n'aboyait jamais. Tous les jours, il s'amusait avec une jeune chèvre qui s'appelait Sissi. Elle ne savait pas que c'était un chien. Elle pensait aussi qu'il était une chèvre. Pour jouer, Barry lui mordait parfois les pattes et le cou. Sissi n'était pas contente, alors elle lui donnait un coup de tête. « Barry, tu m'énerves, lui disait Sissi. Tu n'es pas très gentil. Et tu me fais mal quand tu me mords ! »

Une nuit, pendant que toutes les chèvres et Barry dormaient, un coyote est arrivé. Il avait faim. Le coyote est entré dans la ferme, et il a sauté sur Sissi, qui a immédiatement appelé Barry « au secours ». Barry s'est réveillé, et il a vu le coyote. Mais comme il pensait qu'il était une chèvre, lui aussi, il était paralysé de peur. « Au secours ! criait Sissi. Sauvez-moi !
- Un coyote ! Un coyote ! Mais qu'est-ce que je peux faire ? Je suis une chèvre et j'ai peur des coyotes, moi aussi ! » a répondu Barry.

Les autres chèvres regardaient Barry avec un air de reproche. Il ne faisait rien et se cachait derrière un tracteur. Finalement, Marguerite, une vieille chèvre lui dit : « Tu es un chien, et je suis sûre que le fermier voudrait que tu nous protèges des coyotes. » Barry a regardé la vieille chèvre avec étonnement, et il a répondu : « Si je ne suis pas une chèvre, alors pourquoi est-ce que j'ai faim quand vous avez faim, pourquoi est-ce que je mange de l'herbe, pourquoi est-ce que je n'aboie jamais ?

- Arrête de discuter, et chasse vite ce coyote de la ferme ! Je t'expliquerai après.

Barry a sauté sur le coyote. Il lui a mordu le cou et les pattes. Il s'est battu avec le coyote comme un vrai chien. Enfin, le coyote est parti, et Sissi a été sauvée.

« Voilà, c'est fait, a dit Barry à la vieille chèvre. Maintenant, peux-tu m'expliquer pourquoi tu dis que je ne suis pas une chèvre ?

- Barry, le soleil va se lever, et tu vas aller au bord du lac. Je veux que tu te regardes dans l'eau, a dit la vieille Marguerite.

Barry est allé près du lac, et il s'est regardé dans l'eau claire. Il a vu un gros chien blanc. Quand il a tourné la tête, le gros chien blanc dans le lac a tourné la tête, lui aussi. Quand il a aboyé, ce gros chien blanc a aboyé lui aussi. Pas de doute, c'était son reflet. Sissi avait tort et Marguerite avait raison. Il était triste de ne plus être une chèvre, mais maintenant il comprenait pourquoi ses cornes ne poussaient pas...

Vocabulaire:

Il vivait (vivre): he used to live

La campagne: countryside

La naissance: birth

Il se prenait pour (se prendre pour): he thought he was...

Il avait faim (avoir faim): he was hungry

Il s'amusait (s'amuser): he had fun, he played

Le cou: neck

Tu m'énerves (énerver): you get on my nerves

Tu me fais mal (faire mal): you hurt me

Il s'est réveillé (se réveiller): he woke up

Sauvez-moi (sauver) !: save me !

Il se cachait (se cacher): he was hiding

Protéger: to protect

Chasser: to chase away

Il s'est battu (se battre): he fought

Expliquer: to explain

Près de: near

Soudain: suddenly

Elle avait tort (avoir tort): she was wrong

Elle avait raison (avoir raison): she was right

21. La chaussette magique

Un jour, Pierre marchait dans la rue. Il était triste parce qu'il n'avait pas de copine. Il était tout seul dans la vie. Il était dans une petite rue déserte quand soudain, un homme est apparu devant lui. « Bonjour ! a dit l'homme. Vous avez l'air bien triste. Voici une chaussette magique. Faites un vœu ! » L'homme portait une cape rouge et des bottes jaunes. Pierre le regardait, la bouche ouverte, tellement surpris qu'il ne pouvait pas parler. « Vous ne me croyez pas ? Je vous dis que je suis sorcier. Allez, Monsieur, prenez la chaussette magique, mettez votre pied dedans, et faites un vœu ! » Pierre était stupéfait, mais il a pris la chaussette.

« Pourquoi pas ? a-t-il pensé. C'est un cadeau bizarre, mais je veux bien essayer.

L'homme a souri et a dit :

- Bon, au revoir et bonne chance ! » puis il a disparu.

Pierre a regardé la chaussette. Elle était grise et moche. Elle était aussi un peu sale. Il a mis son pied dedans et il a dit « Je voudrais une très belle copine, s'il vous plaît ». Tout à coup, une fille magnifique est apparue devant Pierre. « Bonjour, a dit la fille. Qu'est-ce que tu fais, avec cette vieille chaussette ? Tu as l'air rigolo ! Moi je m'appelle Christine et je suis ta nouvelle copine. Elle a souri.

- Moi c'est Pierre.

- Alors maintenant, Pierre, je veux aller faire du shopping, parce que moi, je n'aime pas les vieilles chaussettes. Je n'aime que les choses neuves.
- Ah ! Oui, oui, d'accord » a bégayé Pierre, qui était un peu abasourdi.

Christine et Pierre sont partis en voiture au centre commercial. Ils ont passé beaucoup de temps dans les magasins. Pierre utilisait sa carte de crédit, et portait tous les sacs pleins de vêtements neufs de Christine. Ils étaient lourds, et Pierre était fatigué. « Je suis fatigué, Christine, je veux rentrer chez moi ! » dit Pierre. Christine s'est fâchée.
- Non, nous n'allons pas chez toi. Il faut que nous fassions les courses. Je veux encore des chaussures, alors il est nécessaire que nous allions dans un magasin de chaussures !

Christine a commencé à pleurer et à crier. Elle a pris les sacs de vêtements et les a jetés par terre. Pierre s'est enfui et a couru à sa voiture. Dans le parking, il a vu un garçon assis sur le trottoir, la tête dans les mains. Il avait l'air très triste. « Pourquoi êtes-vous triste ? lui a demandé Pierre.
- Parce que je n'ai pas de copine et que je suis tout seul, a répondu le garçon.
- Tenez, voici une chaussette magique » a dit Pierre en donnant la chaussette au garçon. Vous pouvez lui demander une copine, mais je vais vous donner un conseil.
- Lequel ? a demandé le garçon.

- Demandez-lui une fille qui n'aime pas faire les courses. »

(D'après une histoire racontée par Siobhan O'Carroll)

Vocabulaire:

Seul(e): alone

Une copine: girlfriend

Une rue: street

Une chaussette: sock

Un vœu: a wish

Vous ne me croyez pas? (croire): you don't believe me?

Bonne chance: good luck

Moche: ugly

Tout à coup: suddenly

Apparu(e): appeared

Elle a souri (sourire): she smiled

Faire du shopping: to go shopping

Le centre commercial: shopping mall

Passer du temps: to spend time

La carte de crédit: credit card

Plein de: full of

Lourd: heavy

Elle s'est fâchée (se fâcher): she got angry

Un conseil: advice

Lequel, laquelle ? : which one ?

22. Sauvé !

Il était une fois un petit garçon qui s'appelait Fabien. Il avait 10 ans et rentrait chez lui à pied après l'école quand il a vu un vieil homme en difficulté. « Aide-moi ! » a crié le vieil homme, j'ai une crise cardiaque ! » Le petit garçon a couru vers l'homme. « Il est nécessaire que tu me conduises à l'hôpital, a dit l'homme. Ma voiture est là-bas. Voici mes clés. »

Fabien a regardé autour de lui. Il y avait une grosse voiture noire garée sur un parking. Il a aidé l'homme jusqu'à sa voiture. Il l'a allongé sur la banquette arrière. Il n'avait jamais conduit avant. Mais l'homme était en grande difficulté. Alors Fabien a tourné les clés et a démarré la voiture. Il a conduit très vite pendant 30 minutes. Le vieil homme était content de voir que Fabien était un conducteur extraordinaire.

Mais après ces 30 minutes, Fabien s'est perdu. Il a vu une grosse dame qui marchait seule sur le trottoir, et il s'est arrêté. « A l'aide ! » a crié Fabien par la fenêtre. La femme s'est approchée de la voiture très lentement, et Fabien lui a demandé : « Pourriez-vous nous conduire à l'hôpital ? »
- Oui, bien sûr, a-t-elle répondu. Mais qu'est-ce que tu fais au volant ? Tu es trop jeune pour conduire ! Allez, laisse-moi faire ! » La grosse dame est montée dans la voiture et elle l'a conduite.

Ils sont arrivés rapidement à l'hôpital. Fabien est resté près du vieil homme pendant qu'on s'occupait de lui. Finalement, un des docteurs, curieux de savoir qui était ce petit garçon attentif, a demandé a Fabien :

« Es-tu son petit-fils ? » A ce moment-là, le vieil homme a ouvert les yeux et a déclaré en souriant :

- Oui, c'est mon petit-fils. »

(D'après une histoire racontée par Alex King)

Vocabulaire:

Il était une fois: once upon a time

Aide-moi (aider): help me

Une crise cardiaque: heart attack

Il a couru (courir): he ran

Vers: towards

Là-bas: over there

Voici: here is, here are

Autour de: around…

Garé(e): parked

Il a démarré (démarrer): he started (the car, the engine)

Conduit: driven

Un conducteur: driver

Extraordinaire: extraordinary

Le trottoir: sidewalk

Au volant: at the wheel

Allez ! (aller): come on!

Laisse-moi faire !: let me do (it)!

On s'occupait de (s'occuper de)…: they took care

Le petit-fils: grandson

Vieil homme (vieux): old man

23. L'arbre

Il était une fois une vieille femme. Elle vivait dans une très grande maison, mais elle était toujours toute seule. Elle avait des cheveux gris et elle portait une robe verte. Elle n'avait pas d'enfants ou d'animaux. Elle était très solitaire. Tous les jours, elle marchait autour de sa grande maison et se parlait toute seule, sans regarder autour d'elle. Elle répétait : « Vieille dame, il faut que tu meures ! Tu es trop vieille ! » Puis elle soupirait, et elle rentrait dans sa maison.

Un jour qu'elle faisait le tour de sa maison, elle a senti une présence en passant près de sa mare. Elle a levé la tête, et elle a vu quelque chose qu'elle n'avait jamais remarqué auparavant. C'était un arbre. Il était très grand et très vert. C'était un chêne d'une grande beauté. Elle s'est assise devant cet arbre et elle est restée à le regarder toute la journée. Finalement, quand la nuit est tombée, elle est rentrée chez elle, heureuse.

La journée suivante, elle est revenue voir son chêne. Il était toujours aussi beau. Ses feuilles bruissaient dans le vent, et l'arbre semblait parler. La vieille dame était ravie. Maintenant, elle lui parlait toute la journée, et l'arbre lui répondait. Petit à petit, ils sont devenus de très bons amis. La vieille dame portait toujours sa robe verte, et ressemblait de plus en plus à son arbre. Elle n'était plus solitaire. Elle avait un ami, un vrai.

Puis l'hiver est venu. Il faisait extrêmement froid, et l'arbre a commencé à changer. Ses feuilles sont tombées, et il s'est endormi. La vieille dame était triste. Elle était à nouveau seule.

Un jour qu'il faisait encore plus froid que d'habitude, la vieille femme s'est assise dans la neige au pied de son arbre. Mais il faisait trop froid. Elle a senti que, petit à petit, ses jambes s'endormaient, ses mains s'endormaient, son cœur s'endormait.

Au printemps suivant, quand le chêne s'est réveillé, la vieille dame n'était plus là. Mais à côté de lui, il y avait un jeune arbre. Il était aussi vert que lui, mais beaucoup plus petit, et aussi vigoureux. Ses feuilles bruissaient dans le vent et à ses pieds, il restait les morceaux déchirés d'une vieille robe verte…

(D'après une histoire racontée par Ellen McLaren)

Vocabulaire:

Une robe: dress

Un enfant: child

Il faut que tu meures (mourir): you must die

Soupirer: to sigh

En passant près de…: while going by…

La journée suivante: the next day

Elle est revenue (revenir): she came back

Ravi(e): delighted

Petit à petit: little by little

Elle ressemblait (ressembler): she resembled

De plus en plus: more and more

L'hiver: winter

Il s'est endormi (s'endormir): he (it) fell asleep

À nouveau: once again

Il faisait froid (faire froid): it was cold (the weather)

Elle a senti que... (sentir): she felt that...

Ils s'endormaient (s'endormir): they were falling asleep

Le printemps: spring

Plus: no longer

Le vent: wind

24. Amélia et son gnome

Amélia vivait dans une grande maison verte. C'était Noël, et ses parents lui avaient donné un nouveau jeu d'ordinateur. Dans ce jeu, il fallait inventer des animaux extraordinaires. Par exemple, un cochon avec une queue de singe, un nez d'homme, des pattes d'oiseau et une peau de vache. C'était très important de bien lire les instructions pour faire ces animaux bizarres. Il ne fallait pas faire d'erreurs, car ça pouvait avoir de terribles conséquences.

Mais Amélia n'était pas patiente, alors elle a commencé le premier animal sans lire la notice. C'était une girafe avec des ailes d'oiseau, un cou d'hippopotame et une trompe d'éléphant. Mais elle n'était pas satisfaite. Elle a choisi une autre tête, mais ça ne lui plaisait toujours pas. Elle était frustrée, alors elle est allée dormir. Pendant qu'elle dormait, son animal a commencé à évoluer seul. Il s'est transformé en gnome ! Un méchant gnome, avec un sourire diabolique…

Il est descendu dans la cuisine et a trouvé un vieux couteau rouillé. Il l'a pris et a monté lentement les escaliers vers la chambre d'Amélia. Il est entré dans sa chambre. Elle dormait. Mais Amélia était très sensible au bruit, la nuit, et elle a entendu le gnome qui marchait dans la chambre. Elle s'est réveillée brusquement et a crié, paniquée. Le gnome, avec son sourire diabolique, s'est approché du lit avec son couteau rouillé. Amélia a pris son oreiller et l'a jeté à la tête du méchant gnome. Il était furieux !

Il a percé l'oreiller de trente, quarante, cinquante coups de couteau. Toutes les plumes sont sorties et ont commencé à voler dans la chambre, qui est devenue toute blanche.

Pendant que le gnome se battait avec l'oreiller, Amélia est sortie de son lit et a sauté par la fenêtre dans son jardin. Elle a couru vers la forêt qui était derrière chez elle. Le gnome l'a suivie facilement à la trace de ses petits pieds nus dans la terre fraîche du jardin. Il avait des plumes partout : dans le nez, dans la bouche, sur son vieux chapeau, dans ses cheveux et sa barbe. Il était ridicule, mais effrayant. Pendant qu'il courait, il s'est transformé en girafe pour voir loin, en éléphant pour traverser les buissons d'épines et pour casser les arbres, et en oiseau pour survoler les lacs.

Amélia est arrivée à une falaise. Elle a vu le gnome qui arrivait avec son couteau. Elle a décidé de sauter dans la rivière, au bas de la falaise, et a commencé à nager vers la mer. Le gnome était furieux parce qu'il ne savait pas nager. Il s'est transformé en aigle pour essayer de l'attraper, mais Amélia a plongé au fond de la rivière. Le gnome a plongé aussi, mais il a oublié qu'il ne savait pas nager. Au contact de l'eau, il s'est transformé en éléphant et est tombé au fond comme une lourde pierre. Il a appelé au secours, mais qui voudrait sauver un gros éléphant au sourire diabolique qui tient dans sa trompe un vieux couteau rouillé ? Amélia était sauvée, et le gnome était mort.

(histoire inventée avec l'aide de Zara Orbach)

Vocabulaire:

Le jeu: game

Par exemple: for example

Une erreur: mistake

Sans: without

La notice: instructions

Satisfait(e): satisfied

Les escaliers: stairs

Le bruit: noise

Voler: to fly

Par la fenêtre: through the window

Le jardin: garden

Nu(e): bare, naked

Partout: everywhere

Un oreiller : pillow

Pendant que…: while

Le lac: lake

Au bas de: at the bottom of

La falaise: cliff

La rivière: river

Au fond de: at the bottom of

25. Le pêcheur

Dans un petit village corse, un petit bateau rentrait au port. Un Parisien qui était là en vacances complimenta le pêcheur sur ses beaux poissons et lui demanda s'il avait fallu beaucoup de temps pour les capturer.

« Non, pas très longtemps. » répondit le pêcheur.

- Mais alors, pourquoi n'êtes-vous pas resté en mer plus longtemps pour en attraper plus? » demanda le Parisien.

Le pêcheur répondit que les poissons qu'il avait pêchés étaient suffisants pour nourrir sa famille.

Le Parisien demanda alors : « Mais que faites-vous le reste du temps?

- Je fais la grasse matinée, je pêche pour mon plaisir, je joue avec mes enfants, je fais la sieste avec ma femme. Le soir, je vais au village voir mes amis, nous buvons du vin et chantons ensemble. J'ai une bonne vie…

Le Parisien l'interrompit :

- J'ai fait des études et je peux vous aider. Vous devriez commencer par pêcher plus longtemps. Avec les bénéfices obtenus, vous pourriez acheter un plus gros bateau. Avec l'argent que vous rapporterait ce bateau, vous pourriez en acheter un deuxième, et un troisième, et un quatrième... Au lieu de vendre votre poisson à un intermédiaire, vous pourriez négocier directement avec l'usine et même ouvrir votre propre usine. Vous pourriez alors quitter la Corse et votre petit village pour Paris, Los Angeles, puis peut-être New-York…

Le pêcheur demanda alors :

- Et combien de temps cela prendrait-il ?

- 10 ou 20 ans, répondit le Parisien.

- Et après ?

- Après ? C'est là que ça devient intéressant, répondit le Parisien, vous introduirez votre société en bourse et vous gagnerez des millions.

- Des millions ? Mais après ?

- Après ?

- Vous pourrez prendre votre retraite, habiter dans un petit village côtier, faire la grasse matinée, jouer avec vos enfants, pêcher un peu, faire la sieste avec votre femme et passer vos soirées à boire et à chanter avec vos amis… »

(Adaptation d'une histoire drôle)

Vocabulaire:

Le pêcheur: fisherman

Il rentrait (rentrer): it was going back to…

Il avait fallu (falloir) beaucoup de temps: much time had been needed

La mer: sea

Suffisant: enough

Nourrir: to nourish

Le temps: time

Je fais la grasse matinée: I sleep in

Les études: studies

Vous devriez (devoir): you should

Vous pourriez (pouvoir): you could

Négocier: to negotiate

Au lieu de…: instead of…

Quitter: to leave

Combien de temps: how much time

Après: after

Ça devient (devenir): it becomes

Vous pourrez (pouvoir): you will be able to

La bourse: stock exchange

Prendre sa retraite: to retire

26. L'homme à la peau d'ours

Un jeune homme était soldat. Il était brave, mais il était triste parce que la guerre était finie. « Je n'ai pas d'argent », répétait-il, « je sais faire la guerre, et c'est tout. C'est la paix, et maintenant je suis inutile. C'est clair, je vais mourir de faim. »

Un jour, un étranger tout habillé de vert s'approcha de lui. «Tu as besoin d'argent, dit l'homme, je t'en donnerai beaucoup; mais d'abord je veux être sûr que tu es brave. Regarde derrière toi !» Le soldat se retourna et vit un ours énorme qui courait vers lui. Immédiatement, il prit son arme et tira; l'ours tomba mort sur le coup.

« Je vois, dit l'étranger, que tu as du courage; mais si tu veux de l'argent, tu dois faire d'autres choses.
- Dis-moi ce que je dois faire, dit le soldat. Je n'ai rien à perdre.
- Pendant sept ans, tu ne devras ni te laver, ni te peigner la barbe et les cheveux, ni te couper les ongles, ni faire ta prière. Je vais te donner un habit et un manteau que tu porteras pendant ces sept ans. Si tu meurs avant, tu seras à moi ; si tu vis plus de sept ans, tu seras libre et riche pour toute la vie. »

Le soldat accepta. Le diable (car c'était lui !) lui donna son habit vert: « Avec cet habit, tu auras toujours des pièces d'or dans ta poche.» Il prit la peau de l'ours et ajouta : « Voici ton manteau et aussi ton lit. A cause de ce vêtement, on t'appellera Peau-d'ours. » Puis il disparut.

Le soldat mit l'habit. Il mit la main dans sa poche, et il trouva que le diable avait dit vrai. Il mit aussi la peau d'ours sur son habit et partit faire le tour du monde.

Après deux ans de voyages, il avait l'air d'un monstre. Ses cheveux arrivaient à ses pieds, sa barbe et son visage étaient sales. Tout le monde avait peur de lui. Mais, comme il était généreux avec les pauvres, on lui proposait toujours un lit pour dormir.

Un jour de la quatrième année, Peau-d'ours, qui dormait dans une auberge, entendit un vieil homme qui pleurait dans la chambre d'à côté. Il frappa à sa porte et s'approcha. D'abord, le vieil homme eut peur, puis il se calma et raconta ses problèmes à Peau-d'ours. Il avait perdu toute sa fortune, et était tellement misérable, lui et ses trois filles, qu'il ne pouvait pas payer ses dettes. Peau-d'ours décida de l'aider. Il donna beaucoup d'argent au pauvre homme.

Le vieil homme voulait remercier Peau-d'ours. «Viens avec moi, dit-il, mes filles sont belles; tu en choisiras une pour femme. Elle acceptera quand je lui dirai ce que tu as fait pour moi.» Mais ses deux filles aînées refusèrent parce qu'il était trop laid. La plus jeune, qui avait le sens de l'honneur, accepta.

Peau-d'ours prit un anneau qu'il avait à son doigt, le cassa en deux et en donna une moitié à sa fiancée. Dans la moitié qu'il donna, il écrivit son nom, et dans celle qu'il gardait pour lui, il écrivit le nom de la jeune fille. Puis il lui dit au revoir : « Je vous quitte pour trois ans. Si je reviens, nous nous marierons; mais si je ne reviens pas, c'est que je serai mort, et vous serez libre.»

L'homme à la peau d'ours continua son tour du monde. Le dernier jour des sept années, il appela le diable qui arriva, très mécontent; il jeta au soldat ses vieux vêtements et réclama son habit vert. «Un instant, dit Peau-d'ours, il faut d'abord que tu me laves. » Le diable fut obligé de le laver, de lui peigner les cheveux et de lui couper les ongles. Une fois terminé, Peau-d'ours était redevenu un homme superbe.

Peau-d'ours acheta un magnifique habit. Monté sur un beau cheval blanc, il arriva chez sa fiancée. « Qui est ce bel homme ? se demanda le père. Un officier supérieur ? » Il lui présenta ses filles. Sa fiancée, habillée en noir, gardait les yeux baissés, sans parler. Le père demanda au bel étranger s'il voulait épouser une de ses filles. Les deux aînées montèrent vite dans leur chambre pour se faire belles, car elles voulaient le séduire.

Resté seul avec sa fiancée, Peau-d'ours prit la moitié d'anneau qu'il avait dans sa poche, et la mit dans un verre de vin qu'il lui offrit. Elle but le verre et vit ce fragment au fond du verre. La jeune fille prit l'autre moitié qui était à son cou, et toutes les deux se rejoignirent exactement. Alors le bel étranger lui dit: « Je suis ton fiancé que tu as vu sous une peau d'ours ; maintenant j'ai retrouvé ma forme humaine, et je suis riche. »

Il l'embrassa. A ce moment-là, les deux sœurs entrèrent, dans leurs habits magnifiques. Elles virent que ce beau jeune homme était pour leur sœur et réalisèrent que c'était l'homme à la peau d'ours. Elles s'enfuirent, furieuses; la première sauta dans un puits et se noya; la seconde se pendit à un arbre.

Le soir, on frappa à la porte, et le fiancé vit le diable en habit vert à sa porte. Il lui dit: « Eh bien ! J'ai perdu ton âme, mais j'en ai gagné deux autres. »

(Adaptation d'un conte populaire)

Vocabulaire:

L'argent: money

La paix: peace

Inutile: useless

Il se retourna (se retourner): he turned around

Rien à perdre: nothing to lose

Ni… ni…: not… nor…

Tu meurs (mourir): you die

Libre: free

À cause de: because of

Généreux, généreuse: generous

Remercier: to thank

Laid(e): ugly

Je vous quitte (quitter): I leave you

Je reviens (revenir): I come back

Mécontent(e): dissatisfied

Peigner: to comb

L'étranger: stranger

Séduire: to seduce

J'ai perdu (perdre): I lost (something)

J'ai gagné (gagner): I won

About the Author

I am a French native, born and raised near Paris. I have been living near Seattle since August 2000 with my husband Christian, a French business owner, and our son Yann. A graduate in Anthropology from UC Santa Cruz (B.A.) and UC Berkeley (M.A.), I am currently teaching French at the Bush School in Seattle. I like to write in French and tell all sorts of strange or funny stories.

A note about using these stories:
TPRS (Teaching Proficiency through Reading and Storytelling) is the teaching technique I use in my classroom. Students gain fluency through reading and listening to stories which we then retell together, twist or act out in small groups or as a class. Emphasis is on understanding both spoken and written French, and on using the language in

order to be understood. Here are some ideas of written and oral activities students can do with these stories:

- Timed writing in class: Students have 5 minutes to write a summary of the story in French with a set minimum number of words (the number of words depends on the level of the students. 50 words is a good start). Here, production is the goal, not accuracy.
- Leisure writing in class: give students 10 minutes to write a summary of the story with the help of a French/ English dictionary. Accuracy is important.
- Students write a summary of the story at home.
- Students draw the story as a comic strip, and provide captions or dialogues.
- Students write a new ending to the story.
- Students continue the story, if open ended.
- Students choose a least 5 words or expressions from the vocabulary list, and create a new story with them.
- Students retell the story in the past tense, the future tense, etc. in writing, or orally in class.

45035458R00047

Made in the USA
San Bernardino, CA
29 January 2017